¿Cuál es tu flor favorita?

de Allan Fowler

Versión en español de Aída E. Marcuse

Asesores:

Dr. Robert L. Hillerich, Universidad Estatal de Bowling Green, Bowling Green, Ohio

Mary Nalbandian, Directora de Ciencias, Escuelas Públicas de Chicago, Chicago, Illinois

Fay Robinson, Especialista en Desarrollo Infantil

CHILDRENS PRESS®

CHICAGO

Diseñado por Beth Herman Design Associates

Catalogado en la Biblioteca del Congreso bajo:

Fowler, Allan
    ¿Cuál es tu flor favorita? / de Allan Fowler.
      p. cm. —(Mis primeros libros de ciencia)
      Resumen: Con ilustraciones y sencillo texto se describen varios
tipos de flores y se explica cómo crecen.
    ISBN 0-516-36007-8
    1. Flores–Literatura juvenil. [1. Flores.] I. Título.
  II. Series: Fowler, Allan. Mis primeros libros de ciencia.
SB406.5.F68 1992
635.9–dc20

                                        92-7404
                                          CIP
                                          AC

¿No te sientes más feliz
cuando te hallas entre
hermosas flores y puedes
mirarlas y olerlas?

4

En primavera puedes ver
muchas clases de flores
de brillantes colores.

¡Margaritas y narcisos,
pensamientos y petunias,

maravillas, campanillas y
cientos de otras más!

La rosa es una de las flores
preferidas por todos.

Alguna gente planta
jardines enteros solamente
con distintos tipos de rosas.

A veces puedes adivinar el
color de una flor con sólo
saber su nombre – como la
campanilla azul, la violeta,

el botón de oro, o la
campanilla de invierno.

Además de las flores que cultiva la gente, también crecen flores silvestres en los campos, las montañas, los bosques y a orillas del mar.

Hasta puedes encontrar
flores en el desierto – en
las plantas de cacto –.

Cuando miras una flor,
lo primero que notas son
sus pétalos.

Son de brillantes colores y tienen un aroma agradable.

Otras partes de la flor son los estambres, cubiertos de polen como polvo, y el pistilo.

estambre   pistilo   pétalo

Debajo de los pétalos hay un área abultada. Allí es donde se guardan las semillas.

Cuando están en la tierra y
reciben sol y agua, de las
semillas crecen nuevas plantas.

En una planta que florece
brotan pimpollos de flores.

Este capullo está listo
para abrirse en una
hermosa flor.

Algunas flores, como los
tulipanes, nacen de bulbos
en vez de semillas.

Las flores crecen en
muchos tipos de plantas.

Algunas plantas parecen
ser casi puras flores.

Algunas flores, como las lilas,
crecen en arbustos y tienen
un aroma fresco y dulce.

Otras crecen en árboles,
como estas hermosas flores
de cerezo.

Cada estado de los Estados
Unidos y cada provincia
del Canadá tiene su propia
flor especial.

Hay mucha gente que tiene flores favoritas. ¿Tú también las tienes?

Palabras que conoces

estambre   pistilo   pétalo

semillas

capullos y pimpollo

bulbos

flores

margarita

narcisos

campánulas

rosa

campanilla

maravillas

campanillas
de invierno

tulipanes

lilas

31

Índice

Acerca del autor:

Allan Fowler es un escritor independiente, graduado en publicidad. Nació en New York, vive en Chicago y le encanta viajar.

Fotografías:

PhotoEdit – ©David Young-Wolff, 3,23,30 (abajo derecha); ©Tony Freeman, 17, 30 (arriba derecha); ©Michael Newman, 20; ©Myrleen Ferguson, 29

SuperStock International, Inc. – ©Manfred Thonig, Tapa

Valan – ©Kennon Cooke, 4, 9, 28, 31 (centro abajo); ©Tom W. Parkin, 5; ©Harold V. Green, 6, 13, 21, 30 (centro derecha), 31 (arriba izquierda); ©V. Wilkinson, 6 (inserción), 31 (centro arriba); ©Gerhard Kahrmann, 7 (2 fotografías), 26, 31 (centro al centro, centro derecha, abajo derecha); ©Michael J. Johnson, 10, 31 (arriba derecha); ©Herman H. Giethoorn, 11, 31 (abajo izquierda); ©Jeff Foott, 14, 15; ©Hälle Flygare, 18, 30 (izquierda); ©Wayne Lankinen, 19; ©J.R. Page, 22; ©Mildred McPhee, 25

TAPA: Los jardines Keukenhoff, Lisse, Holanda